GREEN LOANINGS

By T. G. Snoddy

H. T. MACPHERSON LIMITED
(W. F. Forrester)
DUNFERMLINE
1958

Acknowledgments

Grateful acknowledgment for permission to re-publish verse which has appeared in their columns is made to the proprietors of *The Glasgow Herald*, *The Scotsman*, *The Scots Magazine* and the *Edinburgh Evening Dispatch*.

PRINTED BY A. ROMANES & SON LIMITED
DUNFERMLINE

Contents

CONTENTS *(Contd.)*

A SPRINGTIME DAWN

The saft and siller tide
O' morning's pouring linn,
Slides o'er this auld earth's side
And spreids alow, abüne,
It sooms awa sae wide,
And a'thing shines within.

O sweet and haly licht
New risen frae thy rest,
As if in God's ain sicht
Renewit and refresht,
I wad that my saul micht
By thee be sunned and drest.

Licht, o' a' licht supreme,
Resplendent Veritie,
Shine wi thy caller beam
On man's infirmitie,
Remeid our evil dream
Wi thy fair sanctitie.

ROBIN

When bonnie Springtime busks anew
The kendlin boughs in ilka shaw,
And burnies rin like siller dew,
And April dichts the lift wi blue,
Gin ye will to my loaning gang
I will thee meet wi random sang;
And I shall sing wi lilting ring
Where flouers their heids in sweetness hing;
But mindin hoo Spring slips awa—
Ah, dowie dreid!
Aiblins I'll faynt a wee and let my sang doonfa.

In spraingit Simmer's prood array
I let the minstrel trade abee—
Minstrels maun wark as weel as play—
But in the cantie hervest day,
Whan Autumn gowds the rustlin lea,
I'll cock a bricht and saucy e'e;
And then I'll sing wi lilting ring
Till blasts the leafy timmers ding,
And mindin Winter's driving snaw—
Ah, dowie dreid!
Aiblins I'll faynt a wee and let my sang doonfa.

I could attain the heichest tree
And whistle bauld as ony bird,
But I hae thochts that winna gree,
And sweel me in perplexitee.
Auld rumour clypes frae faur awa—
It says Christ's bluid maks my breist braw!
Therefore I yerk my russet wing
His luve to sing wi lilting ring;
But mindin o' His bitter thraw—
Ah dowie, dowie dreid!
Aiblins I'll faynt a wee and let my sang doonfa.

BELLS

When I gaed by the shore o' Fife
Ae Sabbath morn in lang, lang syne,
I heard Auld Reekie's kirkin bells
Play rin-tin-tow! and rin-tin-tow!
Across the flood they sweetly rang,
Sae sweetly rang and lichtly sang
As e'er a mortal heard, I trow.
It seemed the ocean's siller shells
Were clinkin in their crystal dells,
Or angel hands had touched the note
That on the simmer waves did float
Sae bonnielie, bonnielie, bonnielie.

And wanderan on this warldly coast
Atween the yerth and hevin sae hie,
Mindin the muckle dooms and fates
That daurken space wi mortal fear,
Some chime o' angel sang I crave,
I inly crave for some sweet stave
O' music true and low and clear.
As gin the stars should break in sound
And send their happy echoes round,
Or melodies o' bliss wad fa
Frae fair Jerusalem's jasper wa,
Sae bonnielie, bonnielie, bonnielie.

ROSE LEAVES

The rose leaves hae fa'en
When nae wind was blawen,
And see hoo they're strawn
    In beauty maist fair;
Nae mair smilan brichtly,
But meek nor unsichtly
They laid them doon lichtly
    On grund that is bare.

Fu gay was their glimmer
Amang the green timmer
When winds sughed in simmer
    And coorted their braith:
Wi sweets o' their skailin
The bee cam hame trailin,
But noo they lie failin
    And wearie in daith.

Their moothies sair cruikan,
Their faces up-luikan,
A' pale and forsooken
    In sweet disarray:
They gar my hert ponder
What's owreheid and under,
Sae deep is their wonder
    This lown winter day.

THOCHTLESS SANG

O gin I were the sunlicht
I'd please ye wi a blink,
And gin I were a soughin tree
I wadna gar ye think,
Gin I were a lintie,
I'd sing a thochtless sang
Wad fill your hert wi pleasure
The haill day lang.

Gin I were the breeze
To blaw amang the corn,
Gin I were the dew-drap
Glittering on the thorn,
Gin I were the wild-flow'r
That glints to the sky,
I'd dirl your hert wi beauty
As ye gang by.

Gin I were a bard
That hauds the muse in fee,
I'd wile ye wi a word
Like the wind in the tree,
Like the croodlin o' the doo
Or the burnie's siller flicht,
Until your hert was fu
Wi a strange delicht.

For the sweet face o' Nature
Has nae logic til't,
And the message o' the bard
Is the music o' the lilt:
Beauty comes to lichten
The sair thochts ye dree,
Till ye hear the sancts singan
In the far countree.

11

A DAY, A FLOUER, A FACE

I mind a day, and whatna day,
The sea was calm and schene the air,
The hills stude out maist frank and fair,
The lift seemed as it werena there—
A crystal sphere unkenned it lay;
And leukan owre the craig o' May
I thocht to see the siller strand,
Aneth the green braes o' the land
In mornin's bricht and still array
Yont watters braid, in Noroway.

I mind a flouer, and whatna flouer,
A siller bell wi gowden streams
That slade intil its hert o' dreams,
The wonder-wark o' heavenly leems.
It bydit in a sunnie bour
Kiss'd wi the pearlies o' a shouer,
And frae the neuk o' its retreat
Breathed a' its soul in odours sweet.
As I gazed in wi glamourt een
There I saw sleepan beauty's Queen!

I mind a face, and whatna face,
'Twas in a dautin hour langsyne,
A face that leukit into mine
Wi trust that age nor ill may tine:
A sacred passion gied it grace
And made our bield a haly place.
Time ne'er shall dim its cloudless art,
Death ne'er shall slay its deathless part.
Whane'er that strainan love I trace
Heaven's yett swees wide in yon fair face.

SKYLARK

Sweet bird that springs sae blithe
  Frae thy laigh hidden bield,
What gars ye steer awa
  Oot-owre this flowery field:
What gait or pleesure wad ye win?
  Abune! Abune! Abune!

Ye spiel the sunny lift
  Wi wildly-fluttering beat,
And lowse your hert in sang
  Which earth and heaven repeat:
Ye bard o' birds where wad ye be?
  On hie! On hie! On hie!

And yet wi breist dispent
  Ye fail in pith betimes,
And may nae heicher win,
  Though singan still your rhymes:
Is't that ye canna farder gang?
  Ye're wrang! Ye're wrang! Ye're wrang!

Bird o' the caller hicht,
  Maun ye nae mair aspire?
Hae ye assuaged your sicht,
  And tint your minstrel fire?
Why licht sae low and cooer your kaim?
  It's hame! It's hame! It's hame!

WILLOW HERB

In the Kyle o' Collessie
As I traivelled through
The willow herb flourished
Where the timmer aince grew,
A ferlie o' nature
Gane gyte in the seedin,
Auld Scotland, thinks I,
Are ye smilin or bleedin?

Laigh laid is the beech
And the guid aik tree
That stude on the brae
Sae stievely and free.
Fu fair was their riggin
In ilka green glade,
But lost is the beauty
And the music they made.

And lost are our yeomen
In mony a lone glen,
The crofts are in ruins,
The crofters are gane.
The rash flouer o' fortune
Has dazzled our een,
And joy has departed
Frae fountain and green.

In the Kyle o' Collessie
As I traivelled through,
The willow herb flourished
Where the timmer aince grew,
A ferlie o' nature
Gane gyte in the seedin,
Auld Scotland, says I,
Are ye smilin or bleedin?

14

SANG

Far ben, abune or under, nane kens whare,
Sits the auld harper wha is nameit Sang:
Blue are his een and white his streaming hair,
And aye he straiks the strings wi dirlins thrang,
And sends through a' the spheres his numbers deep and lang.

His wark is Minstrelsy, sae sage and sweet
In a' the ages o' created time.
'Twas to the soond o' his melodious beat
The warldis bricht were born, and to his chime
They are the versing, the exprest and visible rhyme.

Gin ye cud listen wi an eydent ear,
And saul attuned, dootna ye'd catch richt weel
A hymning in the hert o' a' that's here.
Deeper than thocht, mair prime, is yon saft reel,
And a' the bards o' Sang are fain his gift to steal.

The strains sublime that maister minstrels use,
The harmony that multiplees and floats
Like angel themes, and ilka mydlen muse,
Doon to the modest sowff o' humble cots—
Auld Sang has kittled oot the variable notes.

He sings wi a' that tread in Duty's train,
Sweetenin life's moil and gien wark its worth:
He pairts to each a music o' his ain:
Friendship has joy frae him, and Hame has mirth,
And Love has lichtsomeness to lilt owre a' the earth.

O primal Pooer that chirmed dumb Nicht awa,
Wiser than thocht, o' a' true life the guide,
Still may thy spirit through our borders blaw
Frae thy fair bower that sits Heaven's streams beside,
Singan o' peace and joy that evermair will bide.

15

THE YITE

Wheeplin on an auld stane dyke,
On a mossy dyke abune the sheugh,
He sings awa wi a cheery clype
O' leevin joys, and joys eneugh.

Blaws the wind frae a drumlie sky,
Runklin the dub in the howe o' the hags;
The tod slinks doun the Routenburn,
And up the scree o' the Minnan Crags.

A lanely place and a lanely wind,
A place that girns wi a strucken stare,
Where a bodie's saul gets cauld and crazed
Wi the wind that blaws for evermair.

But wheeplin on the auld stane dyke,
In a blink o' the wat and weary sun,
Weel buskit in his gowden coat,
The yite keeps liltin aye and on.

And aye will soond the wee bit sang
For ageless years by hicht and howe,
Till nature dees in the stourie yird,
And cowps in the sea the Corbyknowe.

DREAMS

Ye mun hae dreams,
Or ye shall hapless dree
And tine your saul for a' eternitee:
Dreams are the palmer's gloir
Whase countrie sends its licht in prief before.

Ye mun hae dreams:
Birds in their glee
Echo the angels' concerts sung on hie:
The haly tide o' day
That glints the hills, will wheesht your fear away.

Ye mun hae dreams:
The sunset's burnan flume
Taks dull despair for kendlin to consume,
And in its fire
Chastens seeven times oor saul o' sinfu mire.

Ye mun hae dreams:
There is eneugh
O glistnin gowd in this warld's fozent stuff
To set a-lowe
Wi hevinly bleeze, the grund ye shool and how.

Ye mun hae dreams:
In this terrestrial
Waukens the gracious Pooer celestial.
Rins near yerth's brink
The crystal stream whilk it were bliss to drink.

PEES-WEIP

In Spring, when stourie tempests blaw,
And snawdraps trimmle in the shaw,
Pees-weip, I see ye cock your crest
Amang the stibble o' the lea,
A swankie fellow neatly dressed
In glossy feathers green and grey;
And aye ye kep a wary e'e,
In ready flicht abraid to spring
And wildly beat your lapping wing.

Wi frequent clamour, heich and shrill,
Ye seem the spirit o' the hill,
Fu fond wi clannish freends to bide
On lanely uplands cauld and bare,
The wanderan herd, or loon, to chide
That daurs invade your desert lair;
Then up ye blaw wi skirlins sair,
The crabbit cry o' Scottish bluid
When trouble gies oor peace a scud.

I fairly wonder ane sae trig
Should aye gae bobbin doon the rig,
Wi fashious yerk that ill beseems
Your gentle dignity and style:
Hae ye had thrawins in your dreams?
Or hae ye fa'en by evil wile
Frae antient state in this auld isle?
Maybe ye were some braw bird's get,
Ye are sae stiff and syne sae het.

Or are ye a peculiar brood
Seasont wi spleen afore the Flood,
A snod but crankous kind o' bird,
That whiles gaes wud in scenes austere
Wi rage that scarce can find a word?
Gin May-time comes, shud I win near
When your wee chickies cower in fear,
Ye'll mak my senses reel and ring
Ye dichtit, dirlin, deavin thing.

In truth, Pees-weip, I maun admit
Ye're soond in worth if licht in wit,
A patriot bauld e'en tho ye pet,
Thirled by the hert-strings to your lea:
A trustier Scot were ill to get:
Therefore I wuss ye freedom yet
To thresh the lift and deave the day
Aboot the hill, as lang's ye may.

My brithers dear, that loed to gang
In boyhood sweet the fields amang;
A' ye wha bide in toons at hame,
Deep-lair'd in schemes o' gain and gear,
And ye wha ventured owre the faem,
And backward luik wi scaudan tear,
Bethink the pees-weip's cry ye hear!
I'll wad it gies the warld a ca,
And brings ye hame frae faur awa.

NAEBODY KENS

Naebody kens hoo the wa fell doon,
It brak ae nicht when nane was near,
And sprachled braid, a struckin sicht,
When dawn cam smilan still and clear.
Maybe the hert o't wasna richt,
Or maybe the foond tuk a shiveran fear:
(Ilk thing has a foond that ye daurna steer)
Though spared for lang its fate had lowpit,
And naebody kens hoo the wa was cowpit.

Naebody kens hoo the Laird cam tae't,
For he was a braw and buirdly man,
But he drappit deid on a guid hairst day,
And nae bairn yelloched and nae dowg ran:
(He had a carlin's curse, they say)
Sudden and sair he cowp'd in the closs,
Wi a kyte fell fu and a hert gey boss.
His weedow smirk'd and naethin mowpit,
But the hoose, and the kye, and the lands were roupit.

Naebody kens hoo the State fell doon
Wi an eerie dirl when the praps were drawn;
Maybe the oor o' grace was past
And they reaped the fruit o' the seed they'd sawn.
(Sure was the dunt and it cam at last)
For Truth nae mair was the nation's stay,
And the fear o' the Lord was pat oot o' the way.
They diced and danced, they sang and sowpit,
Till the streets ran reid and the throne was cowpit.

DUNNOCK
(The Hedgesparrow)

Sae sma, sae modest, and sae neat,
Dunnock, my bonnie wee bit birdie,
Picken aneth our grozet buss,
Weel may I spare to thee a wordie.
There's nane has sic a kindly place
Within my naiteral luve as thee:
Ye mousie cratur, sleek and quate,
Finding your meat in ilka tait,
And slippan whiles to some laigh tree,
There in a gush to trill your dainty melody.

Weel mynd I my sweet boyhood days
Wanderan by Spango's hedges green,
The foxglove bloomed alang the braes,
The brier breathed its fragrance keen.
Blithely we keek'd in mony a nest,
And spied wi joy the speckled trove
That graced the bields o' moss and oo;
But thine, ah thine, yon hevinly blue,
Was wonder past a' ither luik,
And wonder was't it cam frae thy grey grainit buik.

But ye hae gien me blither cheer,
Since, in the auld year's hindmaist day,
When frost was whuppan thru the air
And Sol luiked doon in cauld display:
When rime lay white on road and thack,
Nor maukin daured to lea his den,
Ye up and cockit on a bough,
Singan as gleg as lark micht dow,
A brisk, melodious, sudden spirt
Oot o' your midget brain and warm wee hert.

I ken-na what the days will bring,
But nurse a hope frae thy sweet stave:
We'll gie the present task a ding
And leave to Providence the lave.
Dunnock like thee I face life's way
Its changefu wecht o' fate to bear,
And gif it be our joy to meet
In sheltered yaird or loaning sweet,
I bid thee pipe thy welcome note,
For Spring and Simmer's in thy tunefu throat.

FEBRUARY

Skelpit wi bitter blasts and driving snaw
Auld Scotland cooers her heid in shire and toon,
Scarce at the ingle neuk she sowffs a tune,
And wakes to gie her chappit haans a blaw.
Outbye the frozen hills rax in a raw,
The straths wi drift are laired, in muirlan burns—
Cauld wi their icy graith—the watter kirns.
And yet, I warrant ye, yon lass ca'd Spring
Will sune come tripping blithely to our view:
Some siller morn she'll gie the mirk a ding,
And dicht the windows o' the lift wi blue,
While frae the yird the trimmlin snawdraps glimmer,
And ettlin sangsters chirr amang the timmer.

A RONDEL OF TRUTH

Of all that Art can say,
Tak heed, guid sir, I pray,
Gin she confess that Nature's dress
Is Truth's maist seemly way
For to express with no excess—
Lo, what can Art mair say?

Performance fixed yet free,
This rule in all I see,
Attaining light by inward right
Of star and bird and tree:
Truth held in sight attempers might
To be both fixed and free.

The globe with balance rare
Swees in the ambient air,
And brattlin storm may not alarm,
Nor thunderbolt affear,
With Truth to arm she takes no harm,
The globe in balance rare.

Or hear how winds accord
On hill or grassy sward,
In idle ease they sing to please,
And perfect joy afford:
Fu sweet the breeze amang the trees
Where winds and woods accord.

The bird's untutored sang
Aft sung, is never wrang,
Wha ever heard and wasna stirred
By numbers scarce or thrang:
Some maister word attunes the chord
O' this untutored sang.

Lo, in my secreit hert
Truth I wad ne'er desert,
No jot to stray frae her wise way
Whase law shall be my pairt:
I wad obey her sovereign sway
Within my secreit hert.

CUCKOO

A bauld and lanely bird thou art,
Cuckoo, that wings alang yon lea,
And yet thou hast a gleesome hert,
And maybe mischief in thy e'e.
Ye ca me here, ye ca me there,
I keek by buss and faildyke bare:
Ye'll mak a gowk o' me, I trow,
Where are ye bird?—*Cuckoo! Cuckoo!*

Fu weel I loe at morn and e'en
To hear the thrush and blackbird sing,
And a' the sangsters that convene
To warble in the woodland ring.
But aye I kep an eident ear
Thy sudden flute in Spring to hear:
How sweet it waukens us anew
Wi stounds o' bliss: *Cuckoo! Cuckoo!*

They say ye are a foundling bairn
Whase minnie wadna bide at hame,
And frae your nurse ye couldna learn
A tongue o' skill, but aye the same.
Ae day ye plunkit frae the nest
And scoured awa baith east and west.
The pipit kent-na where ye flew,
But heard your lauch—*Cuckoo! Cuckoo!*

I wat some bygane wizard chiel,
Minstrel or bard o' lang lang syne,
Gied thee a word o' unco weil
By watter side or scented bine.
Language has been sae multipleed
That sense and wit hae near-han dee'd,
But ye hae wisdom in your mou,
An owrecome sage—*Cuckoo*! *Cuckoo*!

Is it a cast o' Lallans speech?—
Ye'll maybe be owre blate to tell—
The Lord preserve's that ye sud preach—
Yet that it's Scots I'll threep mysel.
Auld Scotland is your mither yird
(A Pecht she was, as I hae heard)
In France, now, what's your parley-voo?
Losh! say ye sae?—*Cuckoo*! *Cuckoo*!

It maun then be that our auld tongue
Was gien to us in Adam's yaird,
And, as the warld was ane when young,
By ilka race your sang is shared.
They'll ken ye fine, nae doot, in Spain,
In Italy they'll read ye plain,
The Balkan chiels, wi a' their broo,
Will cock their lugs: *Cuckoo*! *Cuckoo*!

And scholars say ye loe stravaigin,
A swankie whidderin vagabond:
Your flichty tail ye'll aye be waggin
To haunt some far Arabian land.
Ye'll flit by auld bemusit seas
And Pharoah's cowpit palaces,
Strange ruined scenes ye'll warsle through,
And greet the wastes—*Cuckoo! Cuckoo!*

Do ye disdain our winter here
When dubs out-spreid on every moss?
Ye ken a Scottie maun be fier,
I wadna like to ca ye fause.
Oh ay, I see, ye hae a hoast?
And maun just seek a kinder coast.
Cranreuch and haar are no for you:
Ye jink them a'—*Cuckoo! Cuckoo!*

Atweel, we'll no fa out at sicht,
We think owre meikle o' your sang,
And gin ye keep your tenor richt
We'll loe ye sair, and loe ye lang.
O birdie, for the hert that's here
There's nane sae strangely sweet and dear,
Nane tirls the saul's deep strings like you,
Come soon in Spring! *Cuckoo! Cuckoo!*

HEICH CLOODS IN SIMMER

Where are ye frae, and where is't that ye're gaen
Ye muckle craigs o' clood that mairch in train,
A pilgrimage o' mountains piled like snaw,
Blawn past our coast and heiden north awa?

Hae ye nae dwallin-place in a' the sky?
Nae fauld o' rest? or maun ye still gang by,
Soomin in lang pursuit owre lands and seas,
Slaw and majestic, but ne'er set at ease?

My fegs! but ye're a wark celestial,
And hae a beauty richt imperial,
A fleecy Alps spun frae auld ocean's lair
Wi crystal streams pent in your misty hair.

Gin ye should fynd nae harbour in the lift
Mang scenes remote where ye may spiel and drift,
Aiblins ye'll turn and gie your freends a ca
In Scotland's antient land o' muir and law.

Aft-times we've seen ye hing upon our bens
And skail your misty treasures in the glens;
We ken ye're sib to us and weel acquent,
Shame fa the chiel wad wuss ye ne'er were sent.

Auld Scotland's grandeur matches wi the cloods,
Mists are our thinking and cataracts our moods,
The rocky binians are the roads we gang,
The lauch and reel o' waters are our sang.

Sae, whiles draw in to us wi forms sublime,
Pure frae your ocean wells and skiey clime:
Bring shades and streams, life, and the linn's loud chorus,
We'll no cast oot whan ye come sailin o'er us.

COMMENT

When I was young and gaed to schule for tentin
Oor dominie had tastes abune the lave,
Learning, he said, was mair than sums and prentin,
There was a thing ca'd Art for which we crave.
He garr'd me watch for beauty on us sclentin,
And I cud paint the flouers that shine sae bricht;
Aince did I paint a rose bloomin and glentin,
And then a gowan smiled upon my sicht—
Thinks I, the wee flouer's lauchin at my paintin.

Ae nicht when hame was quate efter day's dingin,
I ettled to apprieve my skill in sang,
In slee conceit my richest numbers bringin,
Braw notes they were, pooerfu and sweet and lang.
I'll wad nae chiel e'er sent sic sweetness wingin,
The bauld Caruso scarce my range cud beat,
When suddenly upon oor byre-tap ringin
A blackie lowsed his throat wi warblins sweet—
Thinks I, he's maybe lauchin at my singin.

Eh sirs, Fate sets us poets some awfu swinkin,
Juist nou I'm ponderan fell at oor door-cheek:
My thocht's concerned to sowther luve and drinkin,
Deein or being born and a' yon reek.
I feel I'm boun to strachten oot life's kinkin,
Although it weel may tak a week or mair,
And Tam, my dowg, sits on the causey blinkin,
His gab agape and watterin unco sair—
By fegs! he's maybe lauchin at my thinkin.

THE DANCE

Bricht sun ryke doon your burnan kiss
And let me share love's feast,
My secreit saul yearnan for bliss
Awaits to be embraced:
Your lover, earth, impassioned rowes
Beneath your shinan e'e,
Lang time the winds hae borne your vows
An we maun wedded be.—
Come bonnie bairns, together dance,
Tak hands and dance wi me!

If rains are seas the ocean braid
Has lichted on the lands,
If stars are dust the crystal spheres
Are lying on the sands.
Baith faur and near hae trysted here,
Time hauds eternitie,
The rose that grew in Paradise
Blooms on our Scottish lea.—
O bonnie bairns, together dance,
Tak hands and dance wi me!

Frae lofty muirlands smoored in mist
The loupan burn begins,
Tummlin in laughter owre the craig
As through the glen it wins.
It fills the loch wi nature's yill,
Dingan in meikle glee
To weet the flouers and ca the mill,
A race frae lift to sea.—
Tak hands and dance my bonnie bairns,
Tak hands and dance wi me!

The sun, the stars, the cloods, the winds,
The moon that steers the tide,
The braes and glens, the woods and fields,
The mountains heich and wide,
They sowff awa wi sweet accord
In ae braw symphonie,
And sun and earth and sea wi Man
Hae joyful amitie.—
Then dance and sing my bairnies a',
Come dance and sing wi me!

THE MOON IS LAIGH

The moon is laigh and gowden
As owre the sea it looms,
Ghaistly and faur awa
The glimmeran ocean sooms.
Grey nicht wi eerie pace
Faulds in the sea and land,
And I'm alane on the brig
That's biggit o' surf and sand.

There's a wonder sleepan there
On the breist o' the glintin sea,
There's a wonder bidin here
On the hill that lifts sae hie,
And the peltin o' the drift
Says things I canna ken,
While the hill wind sughs
Its secret tale to the main.

And ye hae left me here
Atween the sea and land,
To listen to the voices
That kimmer on the strand,
Wi fear as deep's the tide,
And hope as heich's the hill,
And ruggin at my hert-strings
A stoun that winna still.

Nor yet ye show your face
Ahent the stars and sea,
Nor ever speak a kent word
To sic a saul as me.
But nicht and day my hert cries
For ye, my native maik,
And the sea may tine and the hill may fa,
Ere I my luve forsake.

LICHTLY ON WATERS

Lichtly on waters fair
Winds blawin mak ripples rin,
Scrievin wi plumes o' air
Signs in sense our sense abüne.
Deaf were that man and blin
Whase sad hert liftin thair,
Thocht joy bygane, auld, and dune,
While winds wimple on waters fair.

Saftly the white clood hings,
Ceiled in blue is hevin's ha,
Heich and green thon tree swings,
Kye hoyt by burn and shaw,
The simmer sun beiks owre a',
Save where the bird shadilie sings,
Gress stans prood, and flouers braw,
And saftly the white fleece hings.

Blithely I crop this braird,
Getherin delights as they appear,
Colour leams frae the dark yird,
Music frae silence fynds my ear,
Beauty kens the way to steer,
And Truth declares her bounden word,
That all sweet things hae trysted here,
Where my saul crops the bonnie braird.

GOWAN

Gowan, I've naething to say to ye,
    Ye're siccan a sma thing,
I ken ful weel what ye are,
    Aye a'thing, a'thing:
A scrimpit bit frill o' a flouer,
Wi your heid yerkit oot o' the stour,
Scarce seen on the lea where ye cooer,
    Smout o' a daisy.

I tell ye your physics are plain,
    Your mak is sae simple:
I'm ponderan on notable lichts,
    Saturn, for example:
Far ben in yon cosmic deep,
Where the genderin potencies sweep,
A sapient watch I keep—
    Gowan, gowan.

Na, dinna keep shakin and shinan
    As gin ye were great:
I'm trystin wi stars, haud your wheesht,
    Hoo loodly ye prate,
Saying stars are your kin and are sisterly,
And Hevin was the stert o' your history,
And yalla and white are a mystery
    Where gowans are growan.

Ye say you've been praised by the poet,
    The seer and the thinker?
And the glint that shines oot o' your face
    Has come frae life's centre?
That though you're a weak and a sma thing,
King's robes were ne'er siccan a braw thing,
And wha reads your secret reads a'thing?—
    And maybe you're richt.

Ah, boundless, stupend, and eterne
    Is yon heich laboratory,
Yet gowan wi thee I wad kneel
    And this meedow my oratory.
I wad look wi your trust at the lift,
And smile as ye dae to the drift,
Hae your gowd in my hert for a gift,
    Gowan, wee gowan.

MAY

By May's young hedgerows wanderan
When leaves are green and small,
To see the gooseweed climbing
And roadside grass grow tall,
O'er fields where corn has brairdit
To hear the laverock sing,
To fynd a thrush in ilka bush,
A jewel in ilka spring.

Can aucht be auld that's yearnan
To wauken in the May?
Since trees and herbs hae thriven
Can herts no burgeoun sae?
Gay as the wild-rose floueran,
Bricht as the tummlin weir,
Blithe as the note o' songbird's throat
And sweet as breath o' brier.

DAN QUINN

Soople and swift and swank,
And fair o' looks was Dan,
Weel limbed and braid shouthered
A stieve and bonnie man,
He bore the gree to loup and rin,
     Dan Quinn.

His lot to hew the stane
That served his will at aince,
He seemed to ken the grain
By some indwelling sense:
Like snaw he cleft it oot and in,
     Dan Quinn.

His hans sae fine and true
Gied the cauld steel its airt:
The shivers lichtly flew
As pre-ordained to pairt:
The craftsman and the tools were kin,
     Dan Quinn.

Like music was the beat
O' bush-hammer and mell,
The rhythms ran complete
As order fand itsel,
'Twas poetry when the wark was dune,
     Dan Quinn.

An Ossian hewing stane,
Poet in a sordid toon,
Life's fire he winna hain,
He claims a freeman's boon;
Sweet is the tavern's roaring din,
     Dan Quinn.

Prudence and Care, inert:
Pleasure and Wit, alive:
Gie life a famous stert,
Auld age will sune arrive;
And sae he roysters drunk and blin,
      Dan Quinn.

Genius o' heid and han,
Inspired to ply his craft,
Labour's heroic man,
In drink, rampagin daft.
The guid Lord sain his soul frae sin,
      Dan Quinn.

PYLON

I've never seen a Fricht-the-Craws like yon,
That stude on spindle shanks wi cruikit girn
East a bit on the brae ayont the Dron,
Abune the bonnie windings o' the Earn.
A skeleton to daur baith man and bairn,
Compact o' mair that wisna than that wis,
Stuck there amang the whins and bent and fern,
Wi knuckles made o' flint, and e'eless phiz.
What micht he be, I speered? And ane replied:
Yon is the saul o' Science richtly dressed.
He has nae bowels or hert it is confessed,
To beauty he is blin, to love denied,
And wheengin through his banes and lifeless sel
Speeds day and nicht a pooer as strang as hell.

THE QUILTING

'Twas the bonnie days o' simmer in the bloom o' the briers
When the kimmers had a quiltin at auld Nanse Adair's,
And the lassies thocht to quat their wark wi needles and wi shears
    For the mune was keekin up abüne o!

Then Rab o' Auchentibber he cam fiddlin up the lane
Wi the lilt o' Dark-eyed Bessie and the Reel o' Ballyblane,
And the laddies werena faur ahint in fiddler Rabbie's train,
    When the mune was keekin up abüne o!

They hae trippet owre the causey to the auld barn stair,
And heech'd and flang like fury on its cauff-strewn flair,
Wi lauchin and wi daffin till dance they couldna mair,
    And the mune was keekin up abüne o!

And Rab has fiddled merrily and jinked his elbuck fine,
He has had a drappie frae the cog, nor buttermilk nor wine,
And he'll hae anither drappie to keep companie sinsyne
    While the mune is keekin up abüne o!

Then linkan aff wi ither in a parley o' their ain,
They set to traivel east or west frae Nanse's hawthorn lane,
Tam paired wi Meg, and Hugh wi Bell, and Andra Spence wi Jane,
    And the mune was keekin up abüne o!

O' bonnie lads and lassies my faith there was a wheen
That stealt each ither's fancy wi the glancin' o' their een,
And mony made a pact that nicht when next they should convene,
    While the mune was keekin up abüne o!

But I gaed owre to Tobergill wi bonnie Merran Shaw,
Where we lingered at the broomy knowe ahint the shielin wa,
And the kisses that I gied my dear I wat nae ither saw,
    Save the mune that was keekin up abüne o!

ADDRESS TO A POET

Nae doubt ye're a poet McThingamy
But I'm whiles no pleased wi the ring o' ye,
Ye've turned sae fain to pyke and clour
And mak a metaphysic stour,
And scarce can lift your hert to sing
Wi wee short flichts on a cooerin wing
And a sma conceit in the tail o' the thing.

I'll say't mysel (tho rouch in the trade)
It's no in the heid that sang is made,
No even though Dr. Johnson's spilt
A book o' compound words intilt.

But this is a truth will aye be fund,
That music springs frae the common grund,
When the Spirit o' God is mated in train
Wi the fouthy yird, and the twa are ane:
In the blend o' the twa, 'tween nicht and morn,
The licht and the sang and the beauty are born.

Hae ye seen the waste o' the silent seas
Warkin ayont the Hebrides?
Soomin deep in eerie howes,
Or spielin heich like cockit knowes,
Till the loupin sea meets the gowden sand,
And the green wave breaks wi a shout that's grand?

Hae ye heard the wind that drives afar
Frae the chaumered lift ahint yon star,
Hae ye heard it sweeping on the hill
To play in sport wi a breengin will?
Strong or tender wi rock or reed,
Wooin the buss and the forest glade,
In lover's haste embracin a'?—
Yon's where the sangs begin to blaw.

Hae ye eyed the sunlicht spreidan wide,
Filling the sky wi its siller tide,
Abüne, abraid, ablow it shines
In space that nae frontier confines.
But sunshine bonnie in the hicht
Is nae sae bonnie and nae sae bricht
As when it gowdens house and bield
In the city street or the lanwart field.

Bereft o' its mate the bird is mute,
Only in luve the sang comes out;
Lost in the sky the wind is still,
It has nae voice till it breists the hill.
Silent as daith is the ocean wide
Till it clasps the strand wi its eager tide.
The licht is cauld and faur awa
That's sweer on toon and field to fa.

O poet wi the glowan e'e
Will ye be a bird in the gowl o' a tree,
Singan nae mair love's melody?
Will ye be the dreary wanderan wave
That never kens a shore to lave
And murmur there its minstrel stave?
Will ye be the wind that flies aboon
And ne'er in the greenwood sings a tune?
Will ye be the licht's essential beam,
Lost to man in the starry stream,
Held frae earth in a dreamer's dream?

Or will ye clasp the common yerth
Wi the pooer o' luve that gie's music birth?
We're deein o' thocht on this glarry bing,
Gin ye're a poet, sing man, sing!

SHILFA

In yon green planting's dappled shade
Lang time in June a lad I lay,
And listened to the wind that played
Sae sweetly o'er the corn and hay.
Fu mony birds their note lat fa,
But ye were heard abune them a',
And this was aye your merry plea,
Chee-chee-chee! Kirsty come awa wi me!

A lover dainty and weel-dressed
In spraingit coat o' white and green,
Wi saucy birse and rosy vest
A' bonnie in their simmer sheen.
Weel micht ye brag your passion bauld
Heich in the woodland's leafy hauld,
And whistle braid to hill and lea,
Chee-chee-chee! Kirsty come awa wi me!

I'll warrant that ye won your lass
Wi sic a pooer o' pridefu sang,
And bigged your nest o' woo and moss
When May wi fragrant leaf was thrang.
But noo your love's a mitherin dame
That tends the cheepin folk at hame:
Minstrel and lover, let abee!—
Chee-chee-chee! Kirsty come awa wi me!

Ay-ay, ye'll wheep till day is düne,
Kirsty will hear but no be heedin:
The gloamin through the wood will win,
The clover breath be sweet as Eden.
Lang time the merry lay ye've sent,
I doot your singin's nearly tint.
Shilfa, abate! Thy tune maun be,
Chee-chee-chee! Kirsty I'll awa to thee!

TO MY BODILY SEL

Wha is't that maws the rig wi me,
For whiles I feel we canna gree,
And yet sae close and sib we ca
Ye scarce wad think that we were twa;
Nature's ain bairn I'll wad is he
The lad that maws the rig wi me.

His face is bonnie, fresh, and reid,
His hair blaws like the charlock weed,
And whiles he sings wi meikle cheer,
And whiles dismays my saul wi fear,
But aye he earns his penny fee
The lad that maws the rig wi me.

An I suld clype o' ill and skaith,
His cantrips bauld hae scared us baith,
And yet I loe the callant weel
And aft owreluik his yerthly zeal:
Why suld I no in love forgie
The lad that maws the rig wi me?

In a' the ways that ere I tuik
My anxious side he ne'er forsook,
Tholed for my sake misfortune's scuds
And bore me safe throu soomin floods:
Gin I was dowie sae was he,
The lad that maws the rig wi me.

Ae rig, ae yoke, ae mortal band,
Mair closely knit than glove and hand:
When time is past, alack-a-day!
The yird will tak his kindly clay,
And I a lang fareweel will gie
The lad that maws the rig wi me.

TO A LAVEROCK SINGAN

Speilin up the air, ettlin at the skies,
Whusslan whare the silence lingers lang,
Gien back the sunshine frae your shinan eyes,
A' fire, a' pith, a' sang!

Aff fa's the warld, your warld is in the cloods,
Distant frae the stourie din o' men,
Laigh lie the fields, the watters and the wuids,
As gin they didna ken.

Why in the lift d'ye lowse your tunefu throat,
Why tak sic traikin a' your lane?
Quick at the endin o' your warbled note
The wheesht comes owre again.

Naething's there to hear ye, naething to heed,
Birlan into space that's cauld and still;
Wingan like a fury awa frae your breed—
The wonder's in your will!

The wonder's in your briest that stoonds wi sang,
And sang in the hevins ye'll hae:
The wonder's in your lot that's laigh as the yird,
And intil the hicht ye'll gae.

Speilin up the air, ettlin at the skies,
Whusslan whare the silence lingers lang,
Gien back the sunshine frae your shinan eyes,
A' fire, a' pith, a' sang!

ABUNE THIS STANE DYKE

Abune this stane dyke keikin
Ferlie o' things I see,
Gress growan up and floueran,
Hemlock that raxes hie,
Vetch blae as simmer hevins,
Lang spray o' clover bloom,
The yalla bird-fit shawan,
Gowd in the dunk green gloom.

And yont the strand o' foggage
Streikit wi mony a flouer,
A lea wi hay new teddit
And ricks weel rapit owre.
And yont the lea a meedow
Quiltit wi lairin kye,
And yont the brae a mistie warld
Whare hills in purple lie.

Its faur ye see when luikin
Owre sic a mairch o' stane,
Ayont the mell o' leevin things
Or things whase beauty's gane.
It seems there's aye a sicht or soond
That leads ye farther ben
Frae what ye hae a kennin o'
To what ye canna ken.

My hert, let us be trystin
To ligg amang the flouers,
Wi keen delicht to feel the joy
O' thae sweet paramours.
And like the bee gae singan
Frae bell to honeyed bell,
Content to pass our simmer days
Wi Nature's winsome sel.

RIVER CLYDE

I see you and I hear you
Rinnan fast old Clyde,
When the western ocean calls you
At the ebbing o' the tide,
Frae the upland springs o' Tinto
And the muirs that lap ye roun,
Ye come sweilin through the channels
Where the muckle hills look doon,
And ye'll rin, old river, in my hert till I dee.

I see you take the plunging hull
That's newly left the way
And christen her with shining foam
Across the Greenock bay.
I see you and I hear you
When you meet the swelling main,
And lift the liners proudly
As they seek the sea again,
And ye'll sing, old river, in my hert till I dee.

Fu mony a stately ship you've sent
The wide seas sailing o'er,
Metalled and engined at your side
And sailored from your shore.
On oceans far and waters strange
They trod the billows down,
And carried to a distant world
The tale of your renown,
And ye'll talk, old river, in my hert till I dee.

The hills they are your mither
Where the lonely shielings lie,
The towns they are your lovers
Where the throbbing hammers ply,
The sea lochs are your sisters
To kiss you on your way,
But the laddies are your children
And you give them ships for play,
And ye'll laugh, old river, in my hert till I dee.

Sae bonnie as I've seen you
When summer days were fair,
The green hills gathered round you
To keep you in their care;
Till owre the corries and the glens
The purple shadows creep,
And sunset frae Ben Cruachan
Puts all the world to sleep.
And ye'll rin old river, ye'll sing old river,
Ye'll shine, old river, in my hert till I dee.

BAMBOOZLED

Deleerit wi the wiles o' poets new
Wha fankle thocht in curious snares o' rhyme,
Aince did I labour in my musing time
To weave the wondrous wab and cloud the view.
Wi cannie care I raivelt ilka clue,
Pat commonsense, yon ranter, in a tether,
And setting rhyme and reason baith askew,
Ettled to bygg a maist mysterious blether.
They'll ken, thinks I, the dreid yon god I gie
Y-ca'd Incomprehensibilitee!
But waes me for my hope and dream o' fame,
Scartin my pow and whammilt in my wame,
For my gleg thochts, when travail a' was owre,
Blinked oot as plain as twa and twa mak fower.

SAILING

Great Admiral o' a' the seas
Whase wisdom is divine,
For them that sail at thy decrees
What airtin word is thine?
Ye hae sae muckle ocean wit,
And kennin sma is mine.

I fynd my wee bit boatie sweel'd
Upon the waters wide,
There's wind and wave to buff me sair
And warslin o' the tide,
There's swirlin weils as deep as daith
About on ilka side.

And still your skeely captains say
A promised countrie lies
Ayont the last grey rigg o' sea,
A scene o' paradise,
Where sancts enjoy the scenes o' bliss
That mystery now denys.

My hert cries out for proof, and sense
To ken the proof is true:
Will ye gang owre the evidence
Till I'm as wise as you?
I'm needin surety, no pretence
To steer my boatie through.

I'm wearied knockin at the lift
An gloweran at the spheres,
While roond me fa's the silent nicht
And burden o' the years:
I fain wad rug at fate nae mair
But rest my lowpan fears.

I fain wad trust like ony bairn
The ocean deep and braid:
Lord send Thy wind to ca my sail
As steady as the Trade,
Lord gie me strength to steer my boat
To whare the harbour's laid.

O rowin, rowin on the sea
Whilk is the Admiral's care;
The morn will lay its licht on me,
I'll ask for proof nae mair,
I'll wake to see the harbour safe,
The countrie ever fair.

THE THOCHTLESS MUSE

O thochtless Muse, sae glaiket and sae blin,
Nae cunning keik ava at life ye tak,
For a' the blinks that clever callants win
By intellect or skill, ye hae nae knaek.
Ye canna faddom wi your little mense
The mystic Saul that braid through nature reigns,
Or prie the inside o' the things o' sense
And whiggle lessons oot o' staurs and stanes.
Nor yet will ye be moved like hair-brainéd loon
Into the bogle realms to tak a trip,
Or argiefy wi Fate that blads sae soon
Man's frail anatomy wi mortal nip.
Puir gowk! ye gape at dewdraps where they hing,
And think wee birds richt wizards when they sing.

WEEL RESPECKIT

When Wullie tuik his stroke and slipped awa,
His freends and cronies gat nae cannie blaw,
And mony murners cam their grief to shaw,
For Wullie was really awfu weel respeckit.

A truer man, they said, they seldom met,
A humbler or a kindlier never yet,
His thocht on ither's trouble aye was set,
And that garr'd a' folk haud him weel respeckit.

He was nae gowk to ettle for a fecht,
Peace was his plea wi a'thing douce and strecht,
And what he said had aye a kind o' wecht,
Wherefore the reason that Wullie was respeckit.

A creature mair devout was never born,
He boo'd and said his prayers baith nicht and morn,
Nae doubt in guidly soil he was guid corn,
Whilk was the way that he was weel respeckit.

And that was why his freends had sorrowan oors,
And werena sweir to pay their grief wi flouers,
His deid-chalmer was sweet as simmer bowers
In prief that Wullie was awfu weel respeckit.

The Lord Himsel tuik notice up on hie,
Spreidan His clouds in great solemnitee,
And garr'd the sun shine doun wi 'tentive e'e,
For Wullie was really awfu weel respeckit.

He granted him a grave o' gowden sand,
'Twas ordered lang, lang syne at His command,
Nae marble mausoleum was e'er sae grand,
Losh, Wullie was really awfu weel respeckit.

And when we laid him underneath the sod,
The meenister spak his humble worth abroad,
And sained his soul wi the oracles o' God,
In sign that Wullie was awfu weel respeckit.

What can be better said about a man,
Wham wardly sins hae touseled as they can,
Than that when meisured by the guid Lord's plan,
He was a kindly chiel, and weel respeckit?

TRAVEL

Nor yet to India nor the coral strand
Of southern isles have I, a venturer, sailed,
But wonned since I was young in this grey land
When spring and summer smiled or winter ailed.
The reekin city dimmed my eager sight,
The skirlin sirens shattered peace each day,
In toil the factory drummed my nerves wi fright,
And sent me dowie hame the langsome way.
And yet betimes I've seen the gowden moon
Appear and sail in glory through our skies:
At peep of early morning heard a tune
Of silver music sowffed in paradise,
And from this narrow scene, sae dull and dune,
I've walked my way to heaven with shining eyes.

TRILOGY

YOUTH

The slaw years winna winna wheel,
Auld dozent Time must ever stan,
The bairn will never be a chiel,
The chiel will never be a man.
My hert loups wi an eagle's rage,
My life's a lintie in a cage.

MANHOOD

Hoo sweetly in this mydlin tide
The lichtsome seasons sing and swee.
Time maks eternitie its bride
And gies us leisure lang and free.
Desire in scenes o' fouth is set
Where a' that's guid wi mair is met.

AGE

Alack-a-day, and has it flown?
Has Time the birkie won awa?
He's slippit doon the wastlin loan
Nor ae haet heeds my waesome ca.
My life's a lintie in a cage—
But my saul yearns wi eagle's rage.

AT AN ATTIC WINDOW

Did I hear ye sing o' the flouers o' Spring
   In the wynd below ye thochtless loon,
Did I hear ye sing o' the flouers o' Spring
   In this dumfoonert toon?

Has the wind cam ben frae the cheery end
   In the bonnie westlan airt awa;
In the woods o' Raith has the caller breath
   Begun to rise and blaw?

O dream o' the years that brings the tears
   When we were bairns and ettled aye
To tak the gait be't ear or late
   Where gowan fields were gay.

When blithe our sang we lowsed amang
   The broomy knowes on ilka green,
And aye the bird or the burn was heard
   Wi music in atween.

Did I hear ye sing o' the flouers o' Spring
   In the wynd below ye glaikit loon?—
Your sang is sweet as the dewy weet
   And clear as the laverock's tune.

THE ITHER CHIEL

Sae stracht, sae douce, sae daintily
I walk the narrow way,
Till some fiend gies my saul a dunt
And steers my mind astray,
And I that was a peacefu sanct
Lowp in a wild ran-dan,
To birl upon the brink o' fate,
And speir what is my proper state,
A bairn o' grace or sinfu get—
Oh man! man! man!

In city street, at desk or bench,
Ye'll fynd me stieve and still,
A stately figure on the staff,
A cog-wheel in the mill,
To this fell warld's mechanic task
Compacted for a fee:
But when the burn sings in the glen,
When summer beiks on loch and ben,
When Nature cries I rise, and then
I'm free! free! free!

My speech, you'll note, is ordered well,
I'm Anglified and nice,
The rampant lion's birr is gone
Since we've been Suddron mice.
And, really, I'd be somewhat loth
To vex the social calm.
But when Auld Scotia tirls our thoughts,
Frae Maidenkirk to John o' Groats,
Then gie me walth o' pithy Scots—
Oh Tam! Tam! Tam!

THUNDERSTORM

Yon sklentin sun that shone sae bricht
Frae heaven's clear pend, a bonnie sicht,
And daizelt wi its beamin licht
    Fair Nature's sel,
Has had a fa-tae in the hicht,
    And tint its spell.

A muckle clood has gien't a ca,
And nou the warld's like Nickie's ha,
There's fear a-fit, the lums in raw
    Can barely smeek,
The midden cock nae mair may craw,
    He downa speak.

Then whatna bleeze and whatna rummle!
Guidsakes the skies are like to whammle!
The vera firmament maun tummle
    Wi a' this dirlin;
It's nae surprise gin lassies scramble
    A-skeigh and skirlin.

Syne frae the lift's fu-breisted sluices
The lowsent flood dings on the houses,
And beasts out-owre amang the busses
    Seek dreepin shelter;
The burnies bock and to the fousses
    Rin helter-skelter.

On uplan braes the oorie kye
Bide dourly till the jaw gaes by,
Or wi impatient dunts defy
    The blaudin rackets:
The sleekit maukins snugly lie
    In bieldy thickets.

There's no a cadger wi his load
Daur thole the angry droukin blaud;
But maister puddock's taen the road,
    And gangrel jeuk,
Wha quaicks, and flaps his penns abroad
    Amang the muck.

And laddies joukin at the door
Rejoice to see the watery splore,
They lainsh their boats amid the roar
        On Scotia's mainland,
And watch them birl a-doun the bore
        Awa to Greenland.

Then ere has düne the spitterin rain,
The byrstan licht floods hill and plain:
The dyker strauchts his back again
        And stares aroun—
There's lauchter in the haill domain
        Where sun luiks doun!

SPRING

Weelum has yokit Mause and Tild
Intil the ploo i'th wastward field,
And braks the grund wi steady pace
Whare's furrs are drawn aboot the place.
His team and he throu cauldrife day
Tap the lang rig and owre the brae,
And ere he lowsens frae his shift
The lantern moon is in the lift,
And craws, weel dined wi walth o' nabbin.
Gae hame to roost wi graceless gabbin.

Fell sune the cauld will lift a wee
And siller licht be mair to see:
Gress will growe greener by the sykes,
And wee flouers shine ahent the dykes:
But aye and on the scud will gloss
The bonnie coat o' Tild and Mause,
And aiblins wheesht, but no for lang,
The thrush or blackbird's tree-tap sang.
Gif ye tak tent o' sic-like thing,
Ye'll ken the year's cam to the Spring.

PRINCES AND PLOOMAN

They ca'd him a Prince o' Financiers
For his fingers jingled the siller fine,
And he held in fee the warld o' trade,
The steel and the ships, the mill and the mine.
Wi the touch that either maks or mars
He juggled wi oil, and wheat, and wars,
Exchange and market paid him court,
And the rich extolled him wi meikle report.—
" But wha's yon corbie?" says Wullie the plooman,
And he plooed an acre o' land that day:
      On gaes the warld, and on.

They ca'd him a Prince o' Intellect,
And his heid was as big as a brickie's hod,
The cosmos to him was arithmetic
To be scartit plain on a dominie's brod.
Vast, nae doot, was the realm o' his thocht,
Queer and remote the knowledge he brocht,
In schule and college they laudit his name,
And hushed when they spak o' his wonderfu fame.—
" But wha's yon gomeril?" says Wullie the plooman,
And he sowed seeven quarter o' corn that day:
      On gaes the warld, and on.

They ca'd him a Prince o' Orators,
A warlock in words, ma fegs, was he:
The folk cam listenin, mooth and lug,
To hear wi delicht his latest lee.
They quoted him lairge in the daily news,
And pictured his phiz as the chief o' the views,
Gang where ye would ye heard the reel
O' that maist witty and eloquent chiel.—
" But wha's yon haveril?" says Wullie the plooman,
And he reaped ten acre o' corn that day:
      On gaes the warld, and on.

MITHER

Ye've fashioned me deep, dear mither,
   Ye've fashioned me deep,
The lily was ne'er spun sae close
   As the garment I keep,
That ye wove in the howe o' yersel
   In my silent sleep.

Ye've happit me weel, dear mither,
   Ye've happit me weel,
Wi a yaird o' the flannen warm
   Row'd up like a reel,
I'm as snug as a mowdie here
   In its silken peel.

Ye've cuddled me fine, dear mither,
   Ye've cuddled me fine:
Your airms are aneath and aroun,
   Your hert beats to mine,
And the warld will fa out o' God's care
   Ere I fa frae thine.

CEDAR OF LEBANON

Growan like iron frae oor grey northern grun
Whaur cauld haar haps ye roond and snell winds blaw,
Raxin your limbs fu stievely to the sun,
Hoo cam ye owre the seas sae faur awa?
And yet a gentle claith o' green ye wear
On lattice-wark o' branches bonnielie dight,
To gie cool shade whaur weary beasts may lair
When Summer skails a het and dazzlin licht.
And on the gale your breath its balm bestows
To steal about our braes and foggy woods,
A fragrance strange, but sweet as ony rose,
Devised by Nature in her orient moods.
Faur, faur frae hame, in fremit scenes ye wonn,
Dreamin o' Pharpar's streams and Lebanon.

GETHERIN STANES

Ae Simmer day weariet wi getherin stanes
I sat me doun by a bricht watery's side:
The cushie-doo in shaw was makan maens,
Owre its clear chuckie-bed the stream did glide,
The sun's smert rays fu beikan on the bing
Gar't a' the daizelt air wend in a ring.

Doveran I lay upon the flowery bank
In hollow where the broom was hingan fair,
The bees gaed bummlin bye, the sma birds shrank
Intil the shade, nor lilted ony mair;
Their littil throats were hackit wi the heat,
And nane its tunefu chorus micht repeat.

Scarcely the kye cud hirple on the lea
To seek the mirky den and misty linn:
Still stondan under ilka leafy tree:
In kyles and neuks the merry midges win,
And a' the braes were bricht, a-start yet still,
While slawly soomed the cairry owre the hill.

In pensive rest below the fragrant broom,
Luikan wi drowsy e'en I then espied
An antient cairn that cumberit a coom;
All mossy were its stanes and spreidan wide:
Lang time unkenned in weed it dootless lay,
And wha it biggit was deid for mony a day.

Aiblins like me some auld-time man o' wark
Had warsled in the sheuch, and cairtit here,
On hochlin shanks wi reikan weet o' sark,
The knurlin stanes that ailed the plewman's shear.
" A weary wicht I'll wad he did beseem,"
I mummlin spak, and fell intil a dream:

Wherein wi meikle wonderment and fear,
Amedst the mossy rickle o' gray stanes
I saw ane eildit ghaist his elbuck rear,
In sair distress to rax his weary banes;
His claes, a cotton goon o' faded blue,
And deeply bleezed his een aneth his broo.

He was a fremmyt carle as ere I kent,
Enfeeblit wi his lang and lanesome sleep,
Wi threshin worn, or meikle dykin spent,
Brocht out o' daith some tryst or pact to keep:
And yet it seemed as we twae glowred at ither
His glimmeran e'e was fain to ca me brither.   .

Wi waefu grane he rase upon the bing,
And wauveran stude like buss when winds blaw sair,
Whiles cuist ajee, and whiles his heid did hing
Till he cud summon pith and warsle fair.
Says I at length, "Wull ye no tak a sate?
Gin ye be free to crack, the day's no late."

The waublin cratur luiket for a plett,
And naethin answeran for his guid intention—
Since a' was rooble stane—he but to set
His dowp wi care upon a whunstane scuncheon.
Whusslan I heerd his gowpan braith intak,
And wi a ghastly gant he silence brak:

"I am ane man ca'd John o' Innerteyle,
Wha langsyne labourit in this rowme o' lond;
Melvill and Boswell baith I kent richt weel,
And bauld John Scot wha in Inchkeirie wonn'd,
But Areskine o' Teil was my ain laird,
And lang the same by Bess and me was sair'd."

" The owsen and the plew I aften drave
Out-owre this glebe, and whan the hairst was in,
And whummlin winds in shaws begoud to rave,
And rains and frosts were like to mak us blin,
Pate Hird, the grieve—Deil fa him!—aye me sped
Rouch fields and dykes o' meikle stanes to redd."

" Whereby (gin I had ease to draw my braith)
I sall relate in short what me befell;
Whilk was nae less than that I gat my daith
Ae day when warslin in the sheuch mysel:
Hochlin thae meikle stanes did me doun-ding:
Pate gied me berial in this rooble bing."

" Sinsyne—a guid three hunner years and mair—
I've lain inbye and keikit frae a neuk,
To see the ongaun in the warld o' air:
And aye I feel it true the mair I luik,
That life for man, nae maitter what his pains,
Is but a yaseless wark o' getherin stanes."

         *   *   *   *   *   *

Pech'd wi his crack he whaizeled for a wee,
And hawkit in his crappie for relief,
Syne gied me leave gin I sud wuss to gree:
(It seemed he lippened upon nae reprief)
And wha to flyte wi Age wadna be feared?
I canna say that I am owre-weel leared.

" Dootless," quo I, " guid John o' Innerteyle,
Yon crankous dunshan grieve, Pate Hird by name,
Served ye wi spite that sent ye to the keel
And cowpit a' this rickle on your wame.
But shairly ye're a wee-thing wrang to say
That getherin stanes is a' man's wark and play?"

" Ye had your ain wife Bess, and hamely joys,
Your brod fair spreid wi beef, and milk, and meal,
On halie days and markets, canty ploys,
Wi yill eneugh, and whiles a kintra reel:
The braes were blithe wi lambs when Spring was here,
And routhie Hairst brocht blessins ilka year."

" Andro o' Coull," quod he, " For sae I ken
They name ye in this parochin and toun,
Whan ye hae passed three hunder year and ten
Ye'll hae a pickle mair mense in your croon;
Ye may hae wife, and meat, and yill, and leesure,
But, mark me weel, Fate yet will cowp your pleesure."

" Life's no a thing ye see in ae short oor,
Whilk oor's as meikle as the mortal span;
And present time's a cheat that will nat cure:
Ye hae to luik some hunder years at man
To see the generations rise and fa
Like winds that tirl the bear and pass awa."

" Nae maitter what his aims, or pairts, or place,
Gie time and daith a chance, they'll mak him skair,
And aff gangs luve and joy and ilka grace,
Tummlin in stour to soondless mirk despair.
But folk, whan Fate gies arles o' meat and drink
Are pleased like bairns, and canna see or think."

" Richt reverend John," quod I, " ye're bauld o' tongue,
And I wi thee to castin-out am sweir."
" I ferlie great," says he, " gin ane sae young
Shud set to contradic my antient lear."
" Atweel," says I, " my wull is no for friction,
An honest man maun speak his ain conviction."

" There's nae man's wit can grow three hunder year,
For that wad mak him wyce beyond belief:
This present moment wi its luve and weir
Gies a' the skill wi hae to set in prief.
Sence in that cairn ye beddit, I daur wad
Your heid's won nae mair wisdom than it had."

" My certy, Andro Coull, but ye're a gowk,
A gomeral and a runt withooten gumption:
Ye're nae sae bonnie as a messan's bowk,
And nae mair ceevil than this whunstane scuncheon.
My guidwife, Bess! wad ye e'er hae beleevit
That I wi siccan haivers sud be deavit?"

" Hae I thae mony years lain in my bing
And watched the seasons pass, and füles like this
Plotch in the glar and owre the plew-honds hing,
And seen slee Nature mask her cheatin phiz,
And brocht this byword outen a' my pains,
That life's a yaseless wark o' getherin stanes;"

" And nou I find mysel geck'd and confrontit
Wi this forjeskit dyker, Andro Coull,
My ain wark's maik; and I'm curfuff'd and duntit
Wi' contradiction, damishment and dule.
Dang it! he juist as blin and thrawn and dour
As e'er I kent them in my leevan oor!"

" What will the cuif say neist?"—" E'en this," quo I,
" That your's is nae guid text for dargin man:
Nor is it truith in ocht I can descry:
There's mair than yaseless moil in Nature's plan.
Ye're maybe fyndan dool in ilka thing
Because ye've laired sae lang intil a bing."

" My sum o' sense is to tak what is gien
And see the bonnie play o' this fair oor:
'Tis sin and cheatrie baith aye to be prien
On what wull be when a'thing's gane to stour.
Tho time and daith sair out a bitter scaudin,
The spark o' life is no sae strachtly blaudin."

" And aye the prief is wi that glimmeran spark
In whatna state and whatna oor it bides.
Licht is the realm it loes and no the dark,
And to be vive and gled whate'er betides.
I sair misdoot ye've run frae luve and beautie
And cooried in a cairn to jink your duty."

" Mislacious sirrah!"—" Na, hear what I say.
Ye on this glebe saw nocht but glar and stanes:
Yersel a doitard to a tyrant's sway,
Your cottar freends warslin wi weary banes,
Syne, sair forfochten, clomphan slawly hame
To rise the morn's morn and dae the same."

" But reverend John, gin ye'll believe my word,
I'll ne'er wi siccan glumphs be ruled and hauntit.
Ye ken yersel that Bess was your sweet burd,
And aft wi mony joys ye were enchanted.
Aince blest the bliss taks rit: then binna blin,
Ye're lingeran wi the things we've left ahin—"

" Glib and deleerit loon, ye've gane clean gyte.
Alack-a-day that wit shud gang sae wud,
For ye hae wit I grant; it's no your wyte
That ye're sae bauld and daft: ye've haen a thud.
Man man, to think that ye cud set things oot
As ye hae here descreeved, and yet no doot!

"Ye crack o' luve and joy, beautie and pleesure,
Hae ye ne'er heerd o' murder, fire and rape—
O' greed that twines the weedow o' her meisure—
Disease and madness wi their burnan graip—
And want that maks a man to peak and dwin'le
Until his shank's nae thicker nor a spin'le?

"I tell ye ill mischance hings owre us a',
We're skelpit and we're rowled frae ditch to dyke;
And what is gear sence it can flie awa?
And what is health when daith gies it a blype?
Was it no truith I spak wi sorrowan granes
When I proponit life as getherin stanes?"

"Na na, freend John, na na, I'll no be fley'd,
Nor yet be fleech'd, still wull I see the guid.
There's visions I hae had that canna fade,
There's weils o' promise rinnin in my bluid.
I downa doot; but I shall trust and sing!"—
At this John winced and cowpit in his bing.

*　　*　　*　　*　　*　　*

Betimes my dream was ower: waukenin I saw
The simmer sun bedinken ilka tree.
Saftly the doos were croodin in the shaw,
And blithe amang the flourish gaed the bee.
The burnie bickered on wi heedless care,
And sweet the braith o' broom, and lown the air.

Thankfu for life I rase and raxed mysel,
My spirit lilting to fair nature's sang:
Dykin was wark o' worth and wark o' skill,
And to be gled in wark couldna be wrang.
Auld John micht keep his byword for his pains,
Whusslin I gaed to labour, getherin stanes.

62

GLOSSARY

Ae, Ane	one.
Abee, to let abee	to let alone.
Abune	above.
Ahent	behind, at the back of.
Aiblins	perhaps.
Ajee	to one side, askew.
Alow	below.
Auld farrant	sagacious.
Ava	at all, of all.
Bauk	a cross-beam.
Bear, bere	barley.
Begoud	to begin.
Beik	to bask in heat.
Besom	a brush or broom.
Bide	to wait for, to persist.
Bield	a shelter.
Biggin	a building, a cot.
Binna	be not (be-na) used prepositionally, but not, except.
Bine	woodbine.
Binian	a small crest of rock.
Birl	to whirl.
Birse	a bristle.
Blad	a stroke, to strike violently.
Blate	bashful.
Blin	blind.
Blink	a glance, to glance.
Blype	a stroke or blow.
Bock or bowk	to gush out.
Bogle	a spectre. hobgoblin.
Braird	to break into leaf.
Brattle	a clattering noise, hurry.
Brawly	bravely, heartily.
Brod	a board, table.
Buff	a blow.
Buik	book.
Buirdly	stout, well-made.
Bummle	a humming sound.
Busk	to dress.
Buss	bush.
Bygg	to build.
Byre	a cow-shed.
Cairry	clouds in motion.
Callant	a youth, strippling.

Caller	fresh.
Cantie	cheerful.
Cantrip	a charm, a piece of mischief.
Carlin	an old woman.
Carle	an old man.
Cauff	chaff.
Chiel	a young fellow.
Chirm	to warble.
Clomphan	a heavy tread.
Closs	an entry or passage in a farm.
Clype	to tattle.
Cowp	to overturn.
Cooer	to stoop.
Cranreuch	hoar frost.
Crankous	fretful.
Croodle	the cooing of a dove.
Cruik	a bend.
Daffin	merriment.
Daur	dare.
Dautin	fondling.
Darg	a day's labour.
Deave	to deafen.
Deleerit	delirious.
Dicht	to wipe.
Dight	prepared, dressed.
Ding	to drive, to excel.
Douce	modest, sedate.
Dover	to doze.
Dow	do, to be able.
Dowie	fatigued, spiritless.
Dree	to endure.
Dreid	fear.
Drouk	to be soaking wet.
Drumlie	troubled, muddy.
Dunk	dank.
Dunsh, Dunshan	to push, pushing.
Dunt	a hard dull stroke.
Ee	eye.
Eident	diligent, careful.
Eildit	aged.
Elbuck	elbow.
Ettle	to aim or strive at
Faddom	to fathom.
Faildyke	a wall of turf.
Faem	foam.
Farder	farther.
Fa'-tae	to close or collapse.
Fashious	troublesome.

Fause	false.
Feck	number, the most part.
Fegs	faith!
Fell	intensive adverb, very.
Ferlie	a wonder, to marvel.
Fleech	to supplicate flatteringly.
Fleg	to scare.
Flume	flood.
Flyte	to scold.
Forfochten	worn out.
Fouth	plenty.
Fouss	a ditch.
Fozent	mouldy, spongy.
Fremmit	strange, acting strangely, unlucky.
Gait	a way, road.
Gant	a yawn, to yawn.
Gar	to cause.
Gaed	went.
Gaen gyte	gone crazy.
Geck	to toss the head, to divide.
Getherin	gathering.
Gin	if
Glaiket	inattentive, foolish.
Glamourt	enchanted.
Glar	mud (reflecting light).
Gleg	sharp. brisk.
Gloir	glory, brightness.
Glumph	to be gloomy, displeased.
Gomeral	foolish nonsensical person.
Gowan	the daisy.
Gowd	gold.
Grozet	gooseberry.
Gumption	discernment, good sense.
Haar	fog, ground and sea mist.
Hag	scars in a peat moss, a moss.
Haill	whole.
Hairst	harvest.
Haivers	foolish talk.
Haly	holy.
Haud	to hold.
Haugh	low-lying land.
Haveril	a half-witted person.
Heich	high.
Hevins	heavens.
Hoast	to cough, a cough.
Hochlin	shuffling with short steps.
How	to hoe.

Hoyt	to move stiffly.
Ilk, Ilka	each, every.
Intilt	into it.
Jink	to elude.
Jouk	to stoop, bow the head.
Jow	to jog, to toll a bell.
Kaim	to comb, a comb.
Keel	chalk, to mark with ruddle.
Keik	to peep, a peep.
Kendlin	to kindle, bring forth.
Kennin	a taste of anything, knowledge of.
Kimmer	a gossip, to talk together.
Kittle	to tickle, ticklish.
Knurlin	strong and knotted, crooked.
Kye	kine.
Kyle	a narrow pass.
Lainsh	launch.
Lairing	to stick in the mire. resting.
Lanwart	belonging to the country. rural.
Lauch	laugh.
Lave	the remainder, others.
Leal	loyal, honest.
Leam	to shine.
Lear	knowledge, learning.
Leeze me	an endearment; I am happy in thee.
Leuk	a look.
Lift	the firmament.
Ligg	to recline.
Lippen	to expect, depend upon.
Loaning	lane.
Loed	loved.
Lond	land.
Loup	to leap.
Lowe	to break into flame, a flame.
Lown	tranquility of air, calm.
Lowse	to loosen.
Lug	the ear.
Maik	a match or equal.
Maukin	a hare.
Maw	to mow.
Maun, Mun	must.
Meikle	great, much.
Mell	to mix.
Mense	discretion, decorum.
Messan	a small dog.

Minnie	mother, dam.
Mirk	dark.
Mislacious	unguarded, rough.
Moil	hard constant labour.
Mou	the mouth.
Mowp, moop	to nibble as sheep.
Mowdie	a mole.
Mydlen	middle.
Oo	wool.
Oorie, Ourie	chill, shivering.
Owsen	oxen.
Pat	a pot, did put.
Pech	to breathe shortly.
Pecht	a Pict.
Pend	an arch.
Penny fee	wages paid in money.
Phiz	the countenance.
Pickle	a grain of corn, small quantity.
Pipit	the tit lark.
Plett, Plettin-stane	flat stone used by blacksmiths.
Plew-honds	handles of a plough.
Plotch	walking heavily in mud.
Ploy	a frolic.
Puddock	a frog.
Raw	row, rank.
Rax	to stretch.
Reid	red.
Remeid	remedy.
Rickle	a careless heap.
Rit	root.
Routhie	plentiful.
Rug	to pull hastily.
Runklin, Runkle	wrinkling, to wither.
Runt	a hard stock.
Ryke	to reach.
Sain	blessing, to bless.
Sair	sorely.
Saired	served, satisfied.
Sall	shall.
Sanct	saint.
Sark	a shirt or shift.
Scaud	to scald.
Schene	beauty.
Schule	school.
Sclent	to come obliquely, askance.

Scrieve	anything written, to write.
Scud	a sharp shower.
Scuncheon	a roughly squared block of stone.
Shanks	legs, to shank it, to walk it.
Shaw	a wood.
Sheugh	a trench, ditch.
Shivers	flaking of hewn stone.
Shool	a shovel, to shovel.
Sib	related by blood or by affection.
Sic	such.
Siller	silver. money in general.
Skaith	hurt, damage.
Skail	to disperse, to spill.
Skair	a fright, timorous, to frighten.
Skeigh	coy.
Skeely	skilful.
Smeek	smoke, reek.
Smeddum	mettle. quickness.
Smoor	to smother, to suppress.
Snod	neat, trim.
Soom	to swim.
Soop	to sweep with a broom.
Soup	to sup, a small quantity of liquid.
Sowther, Souder	to mend or solder.
Spiel	to climb.
Sprachle	to scramble.
Spraingit	streaked with colour.
Staur	star.
Steek	to stitch, to close, a stitch.
Steer	to stir, commotion.
Steive	firm, compacted.
Stent	to stretch, to assess, to stop.
Stibble	stubble.
Stound	a pang of pain.
Stourie, Stour	dusty, dust.
Stravaig	to roam idly.
Sud	should.
Sugh	a sighing or rustling sound.
Swankie	slender, active, clever.
Swee	to swing, the arm for the hook over a fire.
Sweel	to wash by rinsing in water, to drink copiously.
Sweir	reluctant, loath to do.

Swinkin	labouring. to swink, to labour.
Swither	to hesitate.
Synd	to wash out.
Syne	since, afterwards.
Syke	a rill.
Tait	a small portion.
Tent	care, attention: " tak tent."
Thirl	to pierce, to wound, to cause to tingle.
Thole	to bear patiently.
Thrang	crowded, busily engaged.
Thraw, Thrawn	to twist, as of a key in a lock, a throe.
Threep	to urge pertinaciously.
Timmer	wood, trees in winter.
Tine	to lose, to be lost.
Tint	lost, perished.
Tirl	to veer, to disturb.
Unco	very, strange.
Virr	force.
Vive	lively.
Wad, Wald	would.
Wale	to choose, the choicest.
Warsle	to wrestle, a struggle.
Wastlin	westerly.
Wat	wet.
Weel	well.
Weil	an eddy, a circling flood.
Weyr	a spring.
Whaizle	wheezing sound in breathing.
Whammle	to overturn.
Wheen	a number, some.
Wheengin	whining.
Wheeple	shrill whistle.
Wheest	interjection to be silent.
Whidder	to move about, unsteady flight.
Whiles	at times.
Wile	to gain by artful means.
Wonn	to dwell.
Wot	to know.
Wud	wild, demented.
Wuid	wood.
Wuss	wish.

Yalla	yellow.
Yaseless	useless.
Yelloch	a shout.
Yerk	to lash, to jerk.
Yerth	earth.
Yett	a gate.
Yill	ale.
Yird	earth.
Yite	the yellow yorling.